Greg Tessier - Amandine

Mistinguette

Baisers et coquillages

Merci aux grandes vacances, source d'inspiration inépuisable, ainsi qu'à Amandine pour son coup de crayon toujours aussi chaleureux...

Greg.

Aux vacances et aux merveilleuses tables du Vaucluse, de l'Hérault et du Gers qui ont accueilli les planches de cet album lors de sa réalisation ; vive le fabuleux éclairage de Villeneuve et vivement la nouvelle grande table d'Avignon !

Merci à Drac, Pierre et Dad ! d'avoir accepté d'accompagner Mistinguette dans son cahier de vacances, et merci aussi à Louna, Vincent et Madd pour votre si précieux coup de main lors du bouclage final ! Enfin, merci à l'ensemble du super-comité de soutien pour vos encouragements quotidiens (sans vous, les amis, je n'aurais jamais eu l'idée de réécouter Queen et Europe).

Amandine.

Scénario : Greg Tessier
Dessin, couleurs : Amandine

ISBN : 978-2-874-42891-3
N° d'édition : L.10EBBN001494.C004
© 2012 Jungle

Quatrième édition - Novembre 2013

Imprimé en France par PPO Graphic. Dépôt légal : février 2012 ; D.2012/0053/149

31 juillet, de bon matin : jour de grand départ pour les vacances d'été chez la famille Blin.

TOC TOC

IL EST DÉJÀ 9 HEURES, MA PETITE MISTINGUETTE ! ESSAYE DE TE DÉPÊCHER CAR NOUS N'ALLONS PAS TARDER À PRENDRE LA ROUTE.

TOUT LE MONDE EST QUASIMENT PRÊT !

MIOU !

JE NE SUIS PAS DISPO POUR LE MOMENT MAIS LAISSE-MOI TON MESSAGE ET JE TE RAPPELLERAI.

BIP

ET SON PORTABLE QUI NE CAPTE TOUJOURS PAS !

JE SAIS, ALEX, QUE TU SOUHAI-TERAIS QUE JE M'AMUSE DURANT CES DEUX SEMAINES AU CAMPING. MAIS, SANS TOI, ÇA VA ÊTRE SI DIFFICILE !

TU ME MANQUES TELLEMENT.

UN MOIS DÉJÀ QUE TU ES PARTI EN VACANCES AVEC TES PARENTS EN ITALIE !

Chloé Blin

TUUUT TUUUT HOUHOUH CHLOÉ !

ÇA NE TE DÉRANGE PAS SI JE PLACE TA TENTE ENTRE TOI ET TON FRÈRE DURANT LE TRAJET ?

NON, NON, ÇA IRA ! DU MOMENT QU'ON NE L'OUBLIE PAS. C'EST LA PREMIÈRE FOIS QUE JE POURRAI AVOIR MA PETITE INDÉPENDANCE, C'EST IMPORTANT POUR MOI !

?

YAAHAAAAA

ET CELA COMMENÇAIT À DEVENIR VRAIMENT PRESSANT !!!

DES VACANCES SANS MON AMOUREUX, SANS AMI, ET EN PLUS DANS UNE RÉGION, LE SUD DE LA FRANCE, QUE JE NE CONNAIS PAS...

À CE RYTHME, MON DERNIER SÉJOUR EN BRETAGNE CHEZ MAMIE RISQUE D'ÊTRE BATTU À PLATE COUTURE !

ET POURTANT...

TU VAS BIEN ME REPRENDRE UNE PETITE CRÊPE, MA CHLOÉ ?

BURP !

À TCHAO, LES AMIGOS !!!

PARÉS, MOUSSAIL-LONS ?

OUIIII !!!

OUIIII !!!

MIAOUUUU !

MIAOU ?

KOF KOF KOF KOF

VRAAAOUM

BAH, IL RENTRAIT PAS DANS LA CAISSE !!!

MOUAIS !

REGARDEZ VOTRE ONCLE ÉTIENNE ! IL NOUS SALUE ENCORE... QUEL BOUTE-EN-TRAIN, DÉCIDÉMENT ! VIVEMENT QU'IL NOUS REJOIGNE.

4

Errance

Même si, comme toute bonne maman attentionnée, Florence essaya dans un premier temps de profiter du trajet en voiture afin de rassurer sa fille...

CE N'EST RIEN DEUX SEMAINES, MA PETITE MISTINGUETTE. TU VERRAS, ÇA VA VITE PASSER !

ET PUIS, TES RETROUVAILLES AVEC ALEXANDRE N'EN SERONT FORCÉMENT QUE MEILLEURES...

J'ESPÈRE QUE TU AS RAISON.

... comme tout bon papa maladroit qu'il est, Antoine réussit quant à lui à très rapidement casser cette belle dynamique.

BIEN SÛR QUE TA MAMAN A RAISON, CHLOÉ !

ET EN MUSIQUE, LE TEMPS PASSE ENCORE PLUS VITE.

ALORS, ALORS...

PLACE À LA COMPILATION SPÉCIALE ÉTÉ DE TON PAPA !!!

best of mama !

CLIC

VAMOS A LA PLAYA

Vamos a la playa-a-a-a-a-a

JE NE VOUS ENTENDS PAS, LES ENFANTS ?!

AAA-AAAAA-AAAAAA !

Tout bon calvaire devant prendre fin, l'arrivée à destination quelques heures plus tard soulagera tout de même quelque peu nos nouveaux vacanciers...

REGARDE, CHLOÉ ! DES BOUTIQUES À PERTE DE VUE...

GROUIK

HI HI HI !

... Quelque peu seulement, néanmoins.

GROUIK

GROUIK

GROUIK

AH, AH, AH !!! ON DIRAIT QUE ÇA GARGOUILLE DANS LE COIN. COURAGE ! LE COFFRE DE LA VOITURE REGORGE DE METS SUCCULENTS QUE VOUS ALLEZ BIENTÔT POUVOIR DÉVORER.

BROLOM BROLOM BROLOM BROLOM BROLOM

EUMH, EUMH ! ÇA SEMBLE FERMÉ, MAIS JE VOUS CONFIRME QUE NOUS SOMMES ENFIN ARRIVÉS À BON PORT !

CAMPING DE LA MÈRE michel !!

IL EST TROP TROP BEAU, LE CAMPING DE LA MÈRE MICHEL !!!

ON AURA DÉCIDÉMENT TOUT ENTENDU AUJOURD'HUI...

ON GARDE SON CALME, JEUNE FILLE ! QUELQU'UN APPROCHE. JE VAIS TOUT DE SUITE ALLER AUX NOUVELLES.

AH OUI ! C'EST LA MÈRE MICHEL QUI A PERDU SON CHAT, QUI CRIE PAR LA FE...

OK ! J'AI UNE NOUVELLE FOIS AFFAIRE À DES PETITS MARRANTS À CE QUE JE VOIS.

VOUS DEVEZ ÊTRE LA FAMILLE BLIN. MON FILS, JEAN-LOUIS, VA VOUS CONDUIRE À VOTRE EMPLA-CEMENT !

!!

JEAN-LOUIS, C'EST LES BLIN. ÉTEINS-MOI CETTE FICHUE TÉLÉ ET PLUS VITE QUE ÇA ! EMPLACEMENT 35.

C'EST PAS UN PEU FINI CE BOUCAN !

CHUT !

Y EN A QUI ESSAYENT DE DORMIR ICI !

SILENCE !!!

VRRRRRR

OUIIINNN !

EMPLACEMENT 35 EN MOINS DE 25 SECONDES. RECORD BATTU POUR BIP-BIP JEAN-LOUIS !

C'EST TROMPEUR PARFOIS INTERNET, NON ?

DEMAIN SERA UN AUTRE JOUR. ALLEZ, AU LIT !

ALEX
...

BIEN DORMI, MISTINGUETTE ?

TROP ! ÇA SE VOIT PAS ?

TU VERRAS, DÈS CE SOIR ÇA IRA MIEUX ! TU VAS POUVOIR INS-TALLER TA TENTE... ENTRE-TEMPS, PROFITE !

D'AILLEURS, REGARDE AUTOUR DE TOI ! DE JOUR, AVEC UN BEAU SOLEIL, CE CAM-PING N'EST PAS SI MAL.

C'EST POSSIBLE ...

EH ! EH ! QUELLE COÏNCIDENCE ! SAUVEUR HIER SOIR ET VOISIN AUJOURD'HUI. APPROCHE, JEUNE HOMME, ET NE TE FAIS PAS PRIER, S'IL TE PLAÎT ! LA MAISON BLIN T'INVITE À VENIR BOIRE UN BON JUS D'ORANGE.

GRRR !

14

POC

C'EST MOI QUI FAIS, C'EST MOI QUI FAIS !

OUPS !

ARTHUR !

JE M'EN OCCUPE, NE VOUS DÉRANGEZ PAS, MADAME !

WOF WOF

TOUT VA BIEN ?

NON, ÇA NE VA PAS.

DE TOUTE FAÇON, RIEN NE VA EN CE MOMENT !

TU PEUX ME LAISSER REGARDER ?

MMMH... JE NE VOIS PLUS QU'UNE SOLUTION ...

L'AMPUTATION !

OU UN JOLI PANSEMENT PEUT-ÊTRE !

ET VOILÀ, TON DOIGT EST RÉPAR...

C'EST À TOI ?

EUH... OUI, JE ...

... JE DOIS Y ALLER !

Triste, Chloé l'était d'autant plus que son père et son petit frère semblaient, eux, pendant ce temps-là, bien s'amuser...

TU VOIS, FISTON, C'EST COMME ÇA QU'ON LANCE !

AH OUAIS, SUPER ! J'ADORE LA PÊCHE, PAPA !

... Sa mère aussi d'ailleurs.

EN CINQ LETTRES, ABATTEMENT PROVOQUÉ PAR L'INACTION... MMH...

L'ENNUI, MAMAN. C'EST L'ENNUI !

TU VOIS QUAND TU VEUX ! J'AI BIEN FAIT D'INSISTER POUR QUE TU APPORTES TON CAHIER DE VACANCES. TU VAS BIENTÔT DEVENIR PLUS INTELLIGENTE QUE MOI !

SCRITCH SCRITCH

YAHA-HAAA !!!

SPLATCH

Cahier de Vacances
de la 4ème vers la 3ème ✏

Tout en un
Français – Maths

Exercice 1
« Il m'a adressé une lettre que je n'ai pas réussi à lire jusqu'au bout. » Cette phrase contient :
a) une proposition subordonnée relative
b) un complément du nom
c) un adjectif épithète
d) beaucoup de tristesse

cet automobiliste a dans tous les cas dû mettre beaucoup moins de temps que nous le veinard !!!

Exercice 2
Un automobiliste a mis 6 h pour parcourir au total 570 km. Il a parcouru 105 km de route nationale où il a roulé à 70 km/h de moyenne. Le reste du parcours s'est déroulé sur autoroute.

a) Quelle est sa vitesse moyenne sur l'ensemble du trajet ?
b) Combien de temps a-t-il roulé sur la nationale ?
c) Quelle est sa vitesse moyenne sur autoroute ?

Exercice 3
Sylvain et Thomas vont pêcher trois jours de suite. Sylvain a pris plus de poissons le premier jour. Thomas en a pris plus le deuxième, et ils ont pêché la même chose le troisième jour. Au total, Sylvain a pris 4 poissons et Thomas 1 seul. Que s'est-il passé le premier jour ?

a) Sylvain a pris 1 poisson et Thomas 0
b) Sylvain a pris 2 poissons et Thomas 0
c) Sylvain a pris 2 poissons et Thomas 1
d) Sylvain a pris 2 poissons et Thomas 0
e) Sylvain a pris 4 poissons et Thomas 1

a) Papa et Arthur vont pêcher une journée
b) Une vague éclabousse Papa
c) Arthur rigole
d) et moi je m'ennuie

au total, 0 poisson de pêché !!!

Exercice 4
Conjugue les verbes suivants à la première personne du pluriel et au temps indiqué :

a) Aimer (imparfait)
b) Découvrir (passé composé)
c) Savoir (plus-que-parfait)
d) S'ennuyer (subjonctif présent)
e) Devoir (futur simple)

+ = J'aime Alex. Je découvre Corentin, Je ne sais qu'en penser... Je m'ennuiiiiiiie !!! Je dois me reprendre en main !

Pause détente 1
Inventaire : trouve les 3 éléments qui n'ont rien à faire dans cette scène.

Finissant par en avoir assez de l'isolement dans lequel elle s'était elle-même enfermée, Chloé décida donc courageusement de ne plus éviter les rencontres au camping.

TU SAIS, JEUNE DEMOISELLE, RIEN NE REMPLACE UNE BONNE BAGUETTE ET UN BON CAMEMBERT DE CHEZ VOUS !

FRIEDRICH, FRIEDRICH, REVIENS ICI, REVIENS ICI, ICI, ICI, ICIIIIII.

AH, MA FEMME ULRIKA ET SON CHANT LYRIQUE ! JE SUIS OBLIGÉ DE TE LAISSER. AUF WIEDERSEHEN, CHLOÉ !

C'EST D'AILLEURS POUR CELA QUE NOUS SOMMES VENUS NOUS INSTALLER, MA FEMME ET MOI, DANS VOTRE BEAU PAYS IL Y A DE CELA UNE TRENTAINE D'ANNÉES.

ALLEZ, MESDAMES, ON N'HÉSITE PAS À BOUGER SES PETITES FESSES SUR CE RYTHME ENDIABLÉ...

C'EST GYMTONIC JEAN-LOUIS, AUJOURD'HUI !

C'EST DONC LUI LE FILS DE MME MICHEL ! J'AURAIS PEUT-ÊTRE PRÉFÉRÉ NE PAS LE REVOIR FINALEMENT...

?

TAP TAP

ÇA FAIT UNE DEMI-HEURE QUE JE TE CHERCHE. À TABLE, ET AU PAS DE COURSE, JEAN-LOUIS !

HI HI HI HI

OUI, MAMAN...

C'était avant tout à Corentin que Chloé aurait souhaité reparler, mais elle ne le voyait maintenant quasiment plus qu'en coup de vent.

WAF WAF

MA RÉACTION DE L'AUTRE JOUR A CERTAINEMENT DÛ L'EFFRAYER ! JE LE COMPRENDS, D'AILLEURS.

MAIS, IL FAUT DÉSORMAIS QUE J'ESSAYE DE PROFITER DE L'INSTANT PRÉSENT.

IL EST TEMPS QUE JE ME REPRENNE EN MAIN !

TOUJOURS AUSSI PIMPANTE, MA PETITE MISTINGUETTE !

?

YES ! TE VOILÀ ENFIN, PARRAIN ÉTIENNE.

?!

OUI, EXCUSE-MOI, MON COEUR !

JE SUIS TROP CONTENTE !

BON, ÇA SUFFIT MAINTENANT, ON VA PEUT-ÊTRE PAS Y PASSER LA JOURNÉE !

CHLOÉ, JE TE PRÉSENTE DAPHNÉ, MA PETITE AMIE.

SALUT, TOI !

JE CROYAIS QU'ON SE DISAIT TOUT AVEC PARRAIN ÉTIENNE. IL AURAIT AU MOINS PU ME PRÉVENIR QU'IL ALLAIT VENIR ACCOMPAGNÉ !

Les nouvelles priorités allaient dès lors se multiplier.

QUE VOIS-JE ? MAIS, C'EST MON AMIE CHLOÉ QUI EST LÀ !

OH ! ANISSA. ÇA FAIT TOUT DRÔLE DE TE VOIR ICI !

PAS AUTANT QU'À MOI, SACHE-LE !

JE SUIS EN COLO DANS LES ENVIRONS. TU LOGES ICI ÉGALEMENT ?

EH BIEN, EUH... EH BIEN, COMMENT TE DIRE. EUH...

ELLE EST AU CAMPING DE LA MER, JUSTE À CÔTÉ !

ON SE REVERRA PROBABLEMENT TRÈS BIENTÔT ALORS. HA, HA, HA !

ÇA FAIT SUPER PLAISIR DE RENCONTRER UNE FILLE COMME TOI, EN TOUT CAS ! T'ES SUPER SYMPA, ÇA CHANGE UN PEU.

J'HABITE DANS LE COIN ET ICI L'ARGENT EST ROI. IL N'Y A QUE COMME ÇA QU'ON S'AMUSE, C'EST SAOULANT À LA LONGUE !

TU SAIS, J'AI DONNÉ DANS LES PERSONNES SUPERFICIELLES MOI AUSSI, ET JE SAIS QUE C'EST PAS TOUS LES JOURS DRÔLE ! J'AI D'AILLEURS REVU MA PIRE ENNEMIE IL Y A SEULEMENT QUELQUES HEURES...

EH BIEN, JE TE LE DIS, ELLE N'A QU'À BIEN SE TENIR TA PIRE ENNEMIE CAR ELLE AURA AUSSI AFFAIRE À MOI, MAINTENANT !

OH, MA PETITE MISTINGUETTE, DÉSOLÉE, DÉSOLÉE, ARTHUR VIENT SEULEMENT DE TOUT M'AVOUER...

MA PETITE MISTINGUETTE ?!

BAH, OUAIS, C'EST MON SURNOM !

OK, BAH, DE MON CÔTÉ, JE T'APPELLERAI MISTY. C'EST DRÔLEMENT PLUS IN, MISTY !

HI HI

JE TE LAISSE Y ALLER, MES PARENTS M'ATTENDENT AUSSI. ÇA TE DIRAIT QU'ON SE REVOIE QUAND MÊME DEMAIN, MÊME ENDROIT, VERS 15 HEURES ?

OUAIS, GÉNIAL !

ET PUIS, JE N'OUBLIE PAS TA CONFIDENCE AQUA-TIQUE. JE TE PROMETS QU'ON LE RETROUVERA TON AMOUREUX DE LA PLAGE !

HI, HI !

Tous – ou presque – furent ravis du regain de forme de Chloé.

ROULEMENT DE TAMBOUR, ARTHUR, S'IL TE PLAÎT !

RATATAM ! RATATAM !

HI HI HA HAHA HA

TADIN !!!

CLAP CLAP

OUH-OUH-OUH !

IL TE VA À RAVIR CE BIKINI, MISTINGUETTE !

C'EST PAS FAUX. MERCI, M'MAN !

JE NE TRAÎNE PAS ! MA NOUVELLE COPINE M'ATTEND SUR LA PLAGE.

Aussi drôle, imaginative, que de bon conseil, Alice allait immédiatement devenir une véritable valeur refuge pour notre petite héroïne.

J'ESPÈRE QU'ELLE VA VENIR QUAND MÊME ?

ET SI VOUS ÊTES SURVEILLANTE DE BAIGNADE, C'EST MOITIÉ PRIX !

OH LA LA, ÇA TOMBE TROP BIEN !!! JE SUIS MOI-MÊME SURVEILLANTE DE BAIGNADE !

À LA GLACE, À LA GLACE, C'EST NICO QUI PASSE !

AH, MON FRÈRE NICO ! UN VRAI DRAGUEUR, CELUI-LÀ.

ON DIRAIT QUE TON BEL INCONNU N'EST PAS ACCRO À LA BRONZETTE. ÇA TE DIRAIT D'ALLER PLUTÔT TE BALADER EN VILLE ?

JE VAIS D'AILLEURS EN PROFITER POUR TE FAIRE DÉCOUVRIR UN MOYEN DE LOCOMOTION SUPER SYMPA !

ON POURRA PEUT-ÊTRE, PAR LA MÊME OCCASION, RETROUVER TON PRINCE CHARMANT !

CARRÉMENT !

EXTRA !!! DEPUIS LE TEMPS QUE JE SOUHAITAIS EN FAIRE...

CE N'EST PAS TOUT ! JE VIENS DE RECEVOIR MON ARGENT DE POCHE ET J'AI ÉGALEMENT MES ENTRÉES DANS LES BOUTIQUES GRANDE CLASSE ...

GRANDE CLASSE, Y A PAS À DIRE ! HI, HI !

TU SAIS ...

CORENTIN, MON VOISIN DU CAMPING, IL ME FAIT QUELQUE CHOSE AUSSI. MAIS, JE SAIS PAS...

CE N'EST PAS TOUJOURS FACILE DE LAISSER PARLER SON COEUR... SURTOUT LORSQUE L'ON A UN COEUR D'ARTICHAUT !

ET JE M'Y CONNAIS, HI, HI !

MAIS LAISSE-TOI ALLER, MISTY... TU FINIRAS PAR FAIRE LE BON CHOIX !

30

OH, CORENTIN !

OH NON, À CÔTÉ, C'EST, C'EST...

ÇA DOIT ÊTRE TON BEL INCONNU, JE SUPPOSE.

BON, BAH, NE RESTONS PAS LÀ, ALLONS LES VOIR !

SALUT, CHLOÉ !

OUI, SALUT ...

?

RAVI DE VOUS CONNAÎTRE, BELLES DEMOISELLES.

THIBAULT, VOTRE HUMBLE SERVITEUR.

LE HASARD FAIT TERRIBLEMENT BIEN LES CHOSES. JE NE PENSAIS PAS QU'EN DEMANDANT SIMPLEMENT L'HEURE DANS LA RUE À UN ILLUSTRE INCONNU, CE DERNIER AURAIT EU COMME CONNAISSANCE UNE SI TROUBLANTE JEUNE FILLE !

MOUAIS, SATANÉ HASARD !

TIBILIT TIBILIT

OUAIS... OUAIS...

NON, C'EST VRAI...

HA, HA, HA !!!

ÇA PEUT VALOIR LE DÉTOUR... OUAIS, À PLUS, OK. BYE !

ÇA TE DIRAIT, DEMAIN SOIR, DE M'ACCOMPAGNER CHEZ LES RINGARDS DU CAMPING DE LA MER ?

UN AMI VIENT DE M'APPRENDRE QU'ILS ORGANISAIENT UN CONCOURS DE CHANT !

MAIS, C'EST QUE ...

IL N'Y A PAS DE MAIS QUI TIENNE, JE NE ME VOIS DÉSORMAIS PLUS ME DÉPLACER NULLE PART SANS MA JOLIE PRINCESSE À MES CÔTÉS !

BAH, OK ALORS !

ON SE RETROUVE ICI À 19 H ?

ON N'A QU'À PLUTÔT DIRECTEMENT SE RETROUVER SUR PLACE !

T'ES DU GENRE À VOULOIR TE MARRER EN AVANCE, TOI. OK, PAS DE PROBLÈME !

JE FILE, JE SUIS ATTENDU. MAIS VIVEMENT DEMAIN !

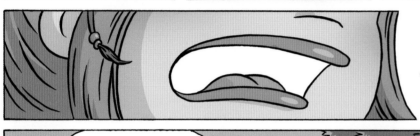

33

Cahier de Vacances

de la 4ème vers la 3ème

Tout en un
Français - Maths

Exercice 5

(Si tu veux ajouter un complément du nom au mot « regard », tu choisiras :

a) troublant
b) de braise
c) glacial
d) qui nous a figés

→ et plutôt deux fois qu'une !!! 😊

Exercice 6

Dans une journée, une jeune fille passe les 2/3 de son temps à penser à son amoureux. Elle consacre 1/4 du temps restant à faire les boutiques.

Durant combien de temps pense-t-elle à son amoureux ?

Combien d'heures consacre-t-elle à faire les boutiques ? $= \dfrac{24 \times 2}{3} = 16$

Fini les boutiques pour l'instant. Ça se termine toujours mal !

Exercice 7

Quelle équation traduit ce problème :

« Gaëtan a 3 ans de plus que Louise. À eux deux, ils ont 29 ans. Quel est l'âge de Gaëtan ? »

Soit x l'âge de Gaëtan

a) $x + 3 = 19$
b) $2x - 6 = 19$
c) $x + x - 3 = 19$
d) $x + x + 3 = 19$
e) $x + x - 1 = 28$

→ ça, c'est notre équation d'Amour avec mon Thibault !

Pause détente 2

Aide le chevalier à délivrer la princesse en évitant les obstacles.

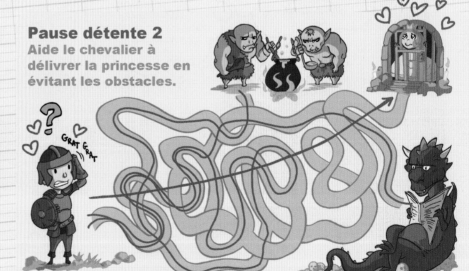

Exercice 8

Donne le féminin des adjectifs suivants :

a) Gentil — gentille
b) Franc
c) Jaloux — jalouse
d) Secret
e) Faux

MAIS tu m'as trop déçue, Alice !

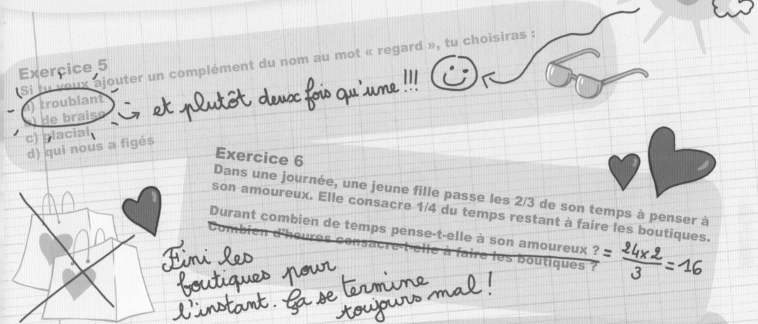

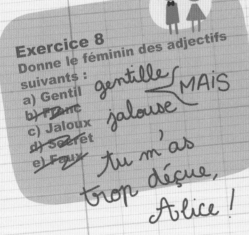

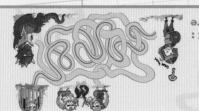

Évidences

Le lendemain, nombreuses furent les inscriptions spontanées au concours de chant...

JE POURRAIS PEUT-ÊTRE LEUR FAIRE DÉCOUVRIR MA RÉINTERPRÉATION TOUTE PERSONNELLE DE CARMEN, NON ?

QU'EN PENSES-TU, FRIEDRICH ? JE SUIS CERTAINE QUE CELA LES IMPRESSIONNERAIT...

OUI, MA CHÉRIE, JE N'EN DOUTE PAS !

ET TU AS INTÉRÊT D'AVOIR PLUS D'ÉNERGIE QUE ÇA, PAROLE DE BAVAROISE !

UNE BONNE BAVAROISE EN DESSERT... J'AURAIS DÛ Y PENSER, MINCE !

JE T'AI INSCRIT, BÉBÉ !

JE COMPTE BIEN ENTENDU SUR TOI POUR ME FAIRE RÊVER EN ME JOUANT TA PLUS BELLE CHANSON.

... Jean-Louis n'y étant quant à lui, c'est certain, pas pour grand-chose !

SI TU ME FILES TON NUMBER, POUPÉE, JE TE FAIS D'OFFICE GAGNER LE CONCOURS !

FAUT PAS CROIRE, J'AI DES RELATIONS DANS LE MÉTIER...

OH, MERCI, J.-L. ! J'AI ATTENDU CELA TOUTE MA VIE.

...

Dans d'autres circonstances, Chloé aurait également aussitôt saisi sa guitare, mais elle avait à cet instant d'autres idées en tête. Thibault était en effet sur le point d'arriver !

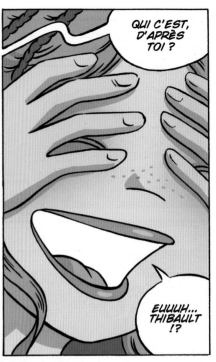

QUI C'EST, D'APRÈS TOI ?

EUUUH... THIBAULT !?

MAUVAISE PIOCHE !

?

JE TE PRÉSENTE MON POTE CHARLES-ÉDOUARD !

C'EST LE FILS DE JEAN-VINCENT DE GIVRY, LE GRAND PATRON DES SURGELÉS GIVRY.

AH OUI, "AVEC GIVRY, C'EST GIVRÉ !" HI, HI, HI !!

...

EUUH... C'EST UN PLAISIR, EN TOUT CAS, CHARLES-ÉDOUARD !

UN VRAI GLAÇON, OUI, CELUI-LÀ ! HI, HI, HI !!!

BON, N'ATTEN-DONS PLUS ...

ALLONS VOIR CE QUE CES PLOUCS NOUS ONT RÉSERVÉ COMME SPEC-TACLE !

Quelques mètres plus loin, l'ambiance était déjà on ne peut plus chaude...

J'ESPÈRE QUE VOUS ÊTES HEUREUX D'ÊTRE ICI CE SOIR ?

CCOOUUUUiiiii !!

... la honte allait cependant très vite gagner Mistinguette !

ET TOI, CHLOÉ, QUE FONT TES PARENTS ?

MES PARENTS, EN FAIT... EUH... MES PARENTS NE FONT RIEN !

ILS N'ONT EN FAIT PAS BESOIN DE TRAVAILLER TELLEMENT ILS SONT RICHES... HI, HI !

EUH, EH BIEN, EUH...

HA HA HA HA HA HA

Il était temps pour les divers candidats de reprendre la main, à commencer par Étienne.

JE DÉDICACE CETTE CHANSON À UNE PERSONNE QUI NOUS EST À TOUS ICI TRÈS CHÈRE, ET À MOI ENCORE PLUS !

MADAME MICHEL, MA BELLE, SONT DES MOTS QUI VONT TRÈS BIEN ENSEMBLE, TRÈS BIEN ENSEMBLE...

HAHAHAHA HAHA

I LOVE YOU, I LOVE YOU, I LOOOVE YOOOU, DAPHNÉ...

Le spectacle tout juste terminé, il fallut malheureusement à nouveau se confronter à la dure réalité des choses.

DEMAIN APRÈS-MIDI, NOUS NOUS RETROUVONS TOUS SUR LE VOILIER DE PÈRE QUI EST AMARRÉ DANS LA CRIQUE, PRÈS DU CAMPING. JE COMPTE SUR TOI, CHLOÉ ! SI ÇA LES TENTE, TU PEUX ÉGALEMENT DIRE À TES AMIS DE VENIR...

JE DOIS TE RACCOMPAGNER ?

BIP BIP

NON, NON, MERCI ! LE CHAUFFEUR DE MES PARENTS NE VA PAS TARDER.

À DEMAIN, ALORS ! CHOUETTE ÉCLATE EN TOUT CAS. HA, HA, HA !

VOUS VIENDREZ ?

ON VERRA !

EST-CE QUE J'AI VRAIMENT FAIT LE BON CHOIX ?

Alice ne pouvant décemment plus laisser la situation se dégrader davantage, elle entreprit très rapidement de mettre un plan en action.

J'AURAIS SOUHAITÉ, NICO, QUE TU APPRENNES À CORENTIN TES MEILLEURES TECHNIQUES DE DRAGUE.

ET LE TEMPS PRESSE CAR C'EST POUR CET APRÈS-MIDI !

OK, SOEURETTE !

SUIS-MOI, JEUNE HOMME ! LE TIMING EST SERRÉ MAIS J'ADORE LES CHALLENGES !!!

EN ROUTE POUR LES MYS-TÈRES DE L'AMOUR...

Pendant que Corentin allait apprendre le b.a.-ba du dragueur, Cartoon quant à lui avait également décidé de passer aux choses sérieuses avec Rhéa, la jolie chatte des voisins. Et il allait pouvoir compter sur Arthur pour cela !

MY NAME IS BLIN, ARTHUR BLIN !

DU CALME, MÉDOR, ON Y VA ...

WAF WAF

ILS SONT PARTIS. À TOI DE JOUER MAINTENANT, CARTOON !

FONCE !

...

La stratégie se devait cependant d'être encore un peu affinée.

Quant à Chloé, avant de partir vers la crique, elle décida plutôt de se faire belle ...

TRÈS BIEN ! JUSTE CE QU'IL FALLAIT.

VOYONS VOIR POUR MA TENUE MAINTENANT !

... Et le moins que l'on puisse dire est que l'expérience acquise durant toute son année scolaire commençait aujourd'hui à véritablement porter ses fruits.

BOF ! TROP HÉROÏQUE...

NON, TROP EXOTIQUE.

CHIC ET COOL À LA FOIS, J'ADORE !!!

Elle avait finalement eu raison de s'apprêter tant
le lieu où elle se rendait semblait hors norme.

C'EST QUI, CES PAYSANS ?!

BONJOUR, JE M'APPELLE CHLOÉ ET...

AH OUI, MONTE !

POUR TOI, PAS DE PROBLÈME...

ET POUR MES AMIS ?

FALLAIT LE DIRE PLUS TÔT ! SI VOUS LA CONNAISSEZ, VOUS POUVEZ ÉGALEMENT MONTER.

V R R R

VRRRRR

MERCI, MISTY !

EN TE REGARDANT, CHLOÉ, JE SUIS AUSSI ÉMU QU'À LA VUE D'UNE AURORE BORÉALE...

HI, HI !

Sur le voilier, tout était encore plus magique !

Chloé se sentit pourtant d'entrée de jeu légèrement mal à l'aise.

JE N'AI PAS MIS ASSEZ D'AUTO-BRONZANT. VITE, IL EST ENCORE TEMPS !

Malheureusement, les choses ne firent ensuite qu'empirer...

ROUIK

... vite ...

... Très très vite.

Même si tout aurait alors dû s'arranger, les retrouvailles entre ces deux timides ne furent cependant pas des plus inoubliables.

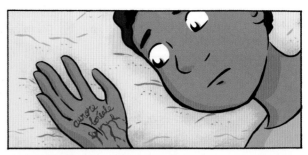

VOLEUSE! VOLEU NOTRE ZODIAC !!!

VRRRRRRRRRRRR

PLOF

SAINE ET SAUVE !

OUI, ET C'EST GRÂCE À CO...

J'AI... J'AI... MÊME PAS... PAS... EU LE TEMPS DE LE REMERCIER !

C'EST RIEN, MISTY, C'EST RIEN... JE SUIS LÀ MAINTENANT. JE NE TE LAISSERAI PAS TOMBER !

47

Les jours suivants, Chloé n'osa presque plus sortir de sa tente.

Son amie retrouvée essayait pourtant tant bien que mal de lui remonter le moral.

BATAILLE !

...

J'AI DIT...

BATAILLE !!!

Hi Hi

TU CROIS QU'IL M'EN VEUT TOUJOURS, CORENTIN ?

JE NE PENSE PAS, IL NE T'EN A D'AILLEURS JAMAIS VRAIMENT VOULU.

IL REVIENDRA VERS TOI, C'EST CERTAIN ! CE N'EST QU'UNE QUESTION DE TEMPS.

COURAGE...

MAIS JE REPARS AVEC MES PARENTS DEMAIN MATIN !

En plein feu d'artifice du 15 août, l'incroyable se produisit néanmoins...

OH ! CORENTIN, C'EST... C'EST TOI !

... COULEUR DE L'ESPOIR, ESPOIR QUE J'AI DE POUVOIR ENFIN TE RETROUVER !

VERT, CELUI-CI SERA VERT, COULEUR DE... DE...

Ainsi, bien que le bal qui suivit se révéla très instructif...

ALORS COMME ÇA ON DRAGUE D'AUTRES FILLES ?!

... Chloé et Corentin ne s'en aperçurent même pas, tout occupés qu'ils étaient à profiter en tête à tête de l'instant présent !

J'ADORE LA MUSIQUE ...

CETTE DOUCE MÉLODIE SERA DONC LÀ... LÀ... POUR TE RAPPELER NOS BEAUX MOMENTS PARTAGÉS !

MERCI !!!

Le lendemain, jour de grand départ, c'est donc le cœur léger cette fois-ci, que Chloé prit la parole.

J'AI ÉTÉ SUPER HEUREUSE DE TE CONNAÎTRE, CORENTIN. JE NE T'OUBLIERAI JAMAIS !

MOI NON PLUS, CHLOÉ !

COMMENT POURRAIS-JE D'AILLEURS OUBLIER DES YEUX COMME LES TIENS !

HI ! HI !

ÇA Y EST ! ON NE T'ARRÊTE PLUS, TOI !

TIENS, ALICE ! VOICI MON NUMÉRO. C'EST DÉCIDÉ, ON NE SE PERD PLUS DE VUE MAINTENANT !

J'Y COMPTE BIEN, MISTY !

TUUTTUT

FIN DES EMBRASSADES, LA ROUTE NOUS ATTEND !

TUUUTUUUUTUUUUUTT

QU'EST-CE QUE C'EST QUE CE BAZAR ENCORE ? JEAN-LOUIS !!!!

J'Y SUIS POUR RIEN, MOI !

TU CROIS QUE C'EST UNE FAÇON DE PARLER À SA MÈRE !

TUUUTTUT

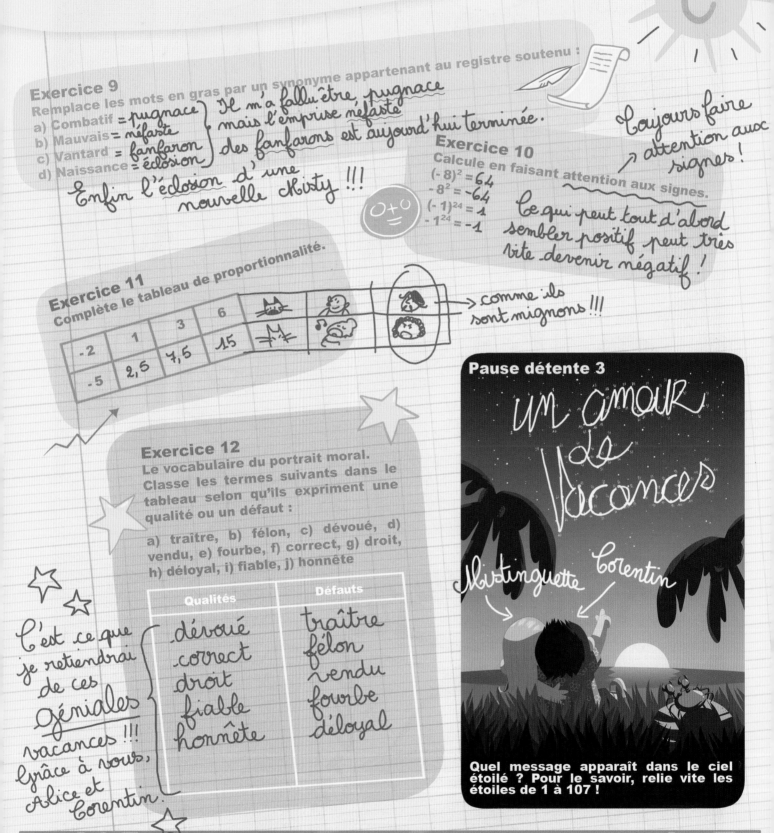

Exercice 9

Remplace les mots en gras par un synonyme appartenant au registre soutenu :

a) Combatif = pugnace
b) Mauvais = néfaste
c) Vantard = fanfaron
d) Naissance = éclosion

Il m'a fallu être, pugnace mais l'emprise néfaste des fanfarons est aujourd'hui terminée.
Enfin l'éclosion d'une nouvelle Misty !!!

Exercice 10

Calcule en faisant attention aux signes.

$(-8)^2 = 64$
$-8^2 = -64$
$(-1)^{24} = 1$
$-1^{24} = -1$

Toujours faire attention aux signes !

Ce qui peut tout d'abord sembler positif, peut très vite devenir négatif !

Exercice 11

Complète le tableau de proportionnalité.

-2	1	3	6			
-5	2,5	7,5	15			

→ comme ils sont mignons !!!

Exercice 12

Le vocabulaire du portrait moral.
Classe les termes suivants dans le tableau selon qu'ils expriment une qualité ou un défaut :

a) traître, b) félon, c) dévoué, d) vendu, e) fourbe, f) correct, g) droit, h) déloyal, i) fiable, j) honnête

Qualités	Défauts
dévoué	traître
correct	félon
droit	vendu
fiable	fourbe
honnête	déloyal

C'est ce que je retiendrai de ces géniales vacances !!! Grâce à vous, Alice et Corentin.

Pause détente 3

Un amour de Vacances

Mistinguette   Corentin

Quel message apparaît dans le ciel étoilé ? Pour le savoir, relie vite les étoiles de 1 à 107 !

REGARDE, CHLOÉ, QUI VOILÀ !

COMMENT T'AS SU QU'ON ARRIVAIT, ALEX ?

ÇA DOIT ÊTRE MON SIXIÈME SENS !

NON, EN FAIT JE ME PROMENAIS DANS LES ENVIRONS ET J'AI APERÇU VOTRE VOITURE.

ET TES VACANCES, ALORS ? RACONTE !

UNIQUES, TOUT SIMPLEMENT UNIQUES...

c'est l'amour à la plage

ouaouh tchatchatcha, baisers et coquillages...

Test final
Tes vacances de rêve, ce serait plutôt… ?

1 Être accompagnée de ta famille durant ton séjour, cela représente :

☀ Un plaisir, même si ce n'est pas toujours évident de s'entendre avec tout le monde !

★ Un effort surhumain, tu tiens avant tout à ton indépendance.

🐚 Une possibilité supplémentaire pour disposer de davantage d'argent de poche.

2 Si tu penses camping, tu te dis :

🐚 Je serais bien mieux dans un hôtel quatre étoiles !

☀ C'est sûrement un bon moyen de se faire de nouvelles connaissances.

★ Les sanitaires en commun, très peu pour moi !

3 Pour une journée plage, tu n'oublies surtout pas :

★ Ton huile pailletée.

🐚 De venir entourée de ta cour.

☀ De te promener au bord de l'eau.

4 Une soirée d'été réussie, c'est :

 Profiter d'un joli ciel étoilé.

 Parader sur l'avenue la plus fréquentée.

Enchaîner les attractions jusqu'à épuisement de tes économies.

FIESTA JEAN-LOUIS, TONIGHT !!!

POUR L'ÉTÉ, RIEN DE MIEUX QU'UNE AMITIÉ !

ET L'AMOUR, RASSURE-MOI, C'EST AUSSI FAIT POUR ?!

5 Ta devise :

Dépense sans compter !

 Fais le plein de beaux souvenirs !

 Fais-toi connaître un maximum !

Réponses

Tu as un max de :

Côté vacances, tout est susceptible de te convenir. Que tu sois à la mer en camping ou dans un chalet en montagne, tu réussis toujours à t'adapter, et c'est ta force ! Cela te demande certes quelques efforts, mais que ne ferais-tu pas pour d'incroyables découvertes et de très belles rencontres. Tu as en tout cas tout compris, vivant chacune de ces périodes comme une aventure à chaque fois renouvelée.

Tu as un max de ⭐ :

Dans ta vie de tous les jours, tu critiques, critiques et critiques encore... La compèt ça a l'air d'être ton truc ! Privilégie donc plutôt les vacances en colonie. Tu pourras ainsi, lors des nombreuses activités proposées, te confronter à quelques-uns de tes camarades. Cela te permettra également de prendre un peu d'indépendance, et peut-être passer ton diplôme de bronzette, sait-on jamais ! Tu pourras ainsi de nouveau parader sans complexe dès la rentrée des classes.

Tu as un max de 🐚 :

Tu es frivole et le revendique haut et fort ! Tes vacances idéales se dérouleraient ainsi sûrement dans un endroit luxueux. Attention néanmoins car l'argent ne fait pas toujours le bonheur d'autrui, il peut même attirer vers toi des amis profiteurs... Aussi, sans te priver de quelques extras, choisis peut-être des vacances plus humbles ! Elles te permettront sûrement de relativiser ta propre vie et de t'ouvrir par là même à de nouvelles façons de penser.

LA RÈGLE D'OR : SAVOIR S'ADAPTER EN TOUTES CIR-CONSTANCES !

JE TE PERMETS PAS DE ME JUGER, OK !!! MOI, AU MOINS, J'AI OBTENU MON DIPLÔME !

C'EST QUAND MÊME PAS ÇA DES VACANCES HUMBLES ?!